© Del texto y las ilustraciones: Xan López Domínguez
© De esta edición: Grupo Editorial Luis Vives, 2014

Edelvives Talleres Gráficos. Certificado ISO 9001
Impreso en Zaragoza, España

ISBN: 978-84-263-9166-7
Depósito legal: Z 343-2014

LAS AVENTURAS
DE LA BRUJA FRITANGA

XAN LÓPEZ DOMÍNGUEZ

EDELVIVES

Introducción

Los magos están por ahí. Tienden a ser discretos,
viven su vida y casi no notamos su presencia.
En lo suyo se rigen por un sistema de categorías
muy complicado. Por simplificar, os diré
que los magos se clasifican a sí mismos
en Magos Inferiores y Magos Superiores.
A su vez, los Magos Inferiores se dividen
en Adivinos, Ungüenteros y Pocimeros,
y los Magos Superiores en Nigromantes,
Pitonisas y Sanadores.

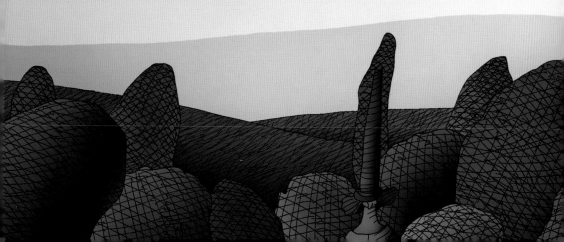

Los Magos Inferiores pinchan poco y cortan menos,
pero esas limitaciones les permiten llevar una vida
más relajada que la de los Magos Superiores,
unos figurines siempre preocupados por mantener
la aureola de misterio que acompaña su rango.
No son pocos los Magos Superiores que adornan
ese halo de misterio con actitudes excéntricas.

A lo largo de esta noche, gracias a la bruja Fritanga
y a las desgracias de su amigo, el mago Renglong,
descubriremos algunas de esas excentricidades.
¡Agarraos!
Comienza el viaje.

1. Fritanga

Las categorías, subcategorías y sub, sub, subcategorías
en que se dividen los Magos Inferiores son imposibles
de enumerar; así que imaginaos el nivel que tendría
Fritanga como bruja considerando que su condición
no pasaba de aprendiza de Pocimera de tercera clase.
Vamos, que en eso de la brujería, la buena de Fritanga
apenas dominaba un par de mejunjes y poco más.

Sin embargo, el Consejo General de Magos
—el organismo que regula las actividades
de magos y seres alados— le había otorgado
a Fritanga, considerando su capacidad para volar,
su natural cortesía y su habilidad con los idiomas,
una especie de estatus entre recadera y apaciguadora
que, aparte de otras funciones, le permitía adentrarse
con cierta familiaridad en los castillos de los Magos
Superiores, lugares considerados normalmente como
poco hospitalarios por muchos de sus compañeros,
los Magos Inferiores.

A veces, el Consejo General de Magos le confiaba
a Fritanga el arbitraje de algún conflicto menor.
Sobre todo si ese conflicto menor era especialmente
farragoso. Y en el mundo no existe nada más farragoso
que las discusiones entre mamíferos y aves.

La noche en que sucedió todo, Fritanga estaba
agotada. Había pasado el día entero mediando entre
unos murciélagos y un búho enamoradizo por el uso
nocturno de la ventana de un molino abandonado
que se veían obligados a compartir.

Ninguna parte daba su ala a torcer.

Las dos querían utilizar la ventana.

El búho por majestuosidad y los murciélagos
por cantidad.

La alternativa era un minúsculo tragaluz.

Nadie quería usarlo.

Los murciélagos proponían votar.

El búho aceptaba.

—Eso sí, una especie, un voto —exigía.

Fritanga trataba de poner orden, traduciendo
a duras penas del buhesco al murcielaguesco
y del murcielaguesco al buhesco.

Pero aquella reunión era un desastre.

Además, los murciélagos entendían lo que querían.

Y por momentos el búho no se enteraba de nada.

Al atardecer, en vista de que allí nadie se ponía
de acuerdo, Fritanga propuso aplazar la discusión
para el día siguiente.

Los contrincantes aceptaron a regañadientes
y regañapico.

—Mañana, a primera hora, continuamos —dijeron
búho y murciélagos como si de un duelo se tratara.

—Mañana, a primera hora, nos vemos —ratificó
Fritanga en buhesco y en murcielaguesco. Y salió
volando, harta de chillidos y cacareos.

Cuando Fritanga llegó a su casa ya había anochecido.
Después de un reconfortante baño y de una cena
reparadora, subió a lo alto de la torre donde estaba
su dormitorio, abrió la ventana de par en par
y se tumbó en su cama, dispuesta a contar
estrellas a modo de ovejitas.

—¡Qué momento más dulce! —dijo la bruja
en murcielaguesco. Y contó… 37, 38, 39…
Así da gusto dormirse… 40, 41…

«Bummm».

El sonido de una tormenta lejana casi la acunaba.

Una tormenta muy lejana.

«Bummm».

Bueno, no tan lejana…

«BUUmmm».

Porque los truenos cada vez sonaban más alto.

«BUMMM…».

Más y más alto.

«BUMMM».

Parecía una tormenta enorme…

«BUMMMM…».

Acercándose a una velocidad vertiginosa.

«BUUMMM…
BUUUMMMM…».

Todo retumbaba.

«PRUMMM…
PATAPRUM…
PRUM … PRUM…».

Fritanga se levantó asustada para cerrar la ventana.
Casi no podía caminar.
Todo se movía.

Y de pronto…
Un ensordecedor trueno…

BUUUUUUUUUUMMMMMMMMMM…

… dio paso a un inquietante silencio.
La luna desapareció de la ventana,
y al instante volvió a aparecer
convertida en un enorme ojo
que miraba fijamente a Fritanga
desde el exterior.

Fue entonces cuando nuestra bruja escuchó una voz atronadora y lastimera.

—No te asustes, Fritanga. Soy yo, Renglong... Anda, asómate a la ventana y verás lo guapo que me he puesto.

Fritanga asomó su cabeza y descubrió con sorpresa que su amigo, el mago Renglong, se había convertido en un colosal gigante.

En ese momento, Fritanga se dio cuenta de que la noche iba a ser larga, muy... muy larga.

—A ver, Renglong, ¿qué has hecho esta vez?

2. Renglong, el imprevisible

Renglong era un desastre de mago. Ungüentero de segunda, adivino a tiempo parcial y obsesivo a tiempo total, sus actividades estaban consideradas por el Consejo General de Magos como «altamente peligrosas».

Para contaros por qué Renglong se transformó en un gigante, tengo que remitirme a los tiempos en que andaba perdidamente enamorado de la prodigiosa acróbata Zaqueu Zara.

Ella no le hacía ni el más insignificante caso,
pero él, erre que erre, no dejaba de darle la lata
con serenatas nocturnas y diurnas, con poemas
recitados por cuervos chillones y, sobre todo,
con regalos, montañas de regalos.
A veces eran ramos de flores.
—Pero Renglong, ¿no sabes que soy alérgica
al polen? —le replicaba la acróbata.

Otras veces le regalaba cajas de bombones…

—Pero Renglong, ¿no sabes que estoy a dieta?

O le aparecía con litros de perfumes.

—Pero Renglong, ¿no sabes que tus perfumes huelen a pomada, son untuosos y me hacen resbalar?

Un buen día, sin más, Zaqueu Zara cargó sus baúles y se marchó como primera estrella del espectáculo del gigante Roman Goldstein a una interminable gira por la estepa rusa.

—¡Chao, Renglong! Hasta otra.

Aquella decisión rompió en mil pedazos el corazón
del pobre Renglong. Y así, el mago, aplicando
con coherencia su condición de obsesivo,
se desentendió de sus múltiples defectos y atribuyó
el desamor de la acróbata única y exclusivamente
a su baja estatura.

Esa obsesión le llevó a intentar resolver su «problema»
de mil formas posibles, y para ello no dudó en utilizar
la magia. Cualquier tipo de magia.

Y la magia estaba en los libros.

Renglong consultó cuanto libro de magia se le puso
a tiro, desde el inofensivo *Incipientis* al terrible
Metamorphos, un libro oscuro del que solo hacen uso
los más osados Magos Superiores. Y fue precisamente
en el *Metamorphos* donde dio con el conjuro «Cómo
hacer que las cosas crezcan a voluntad».

—Ideal —pensó
Renglong.

Renglong intuía el peligro de los conjuros
del *Metamorphos*, y en un raro arrebato
de sentido común, decidió probar primero
con invocaciones que parecieran inofensivas.
—Lo más inofensivo del mundo son los conjuros
domésticos —discurrió.
Y sin darle muchas vueltas, conjuro a conjuro,
Renglong fue resolviendo, de un modo más o menos
satisfactorio, problemillas tales como las chinches
que le acosaban en su cama, la gotera misteriosa
del comedor, la humedad del cuarto de las visitas,
el desagüe de las cañerías que parecía estar conectado
directamente con el Averno… Esos pequeños «éxitos»
le parecieron aceptables y le dieron confianza
para abordar definitivamente la solución
a su gran problema.

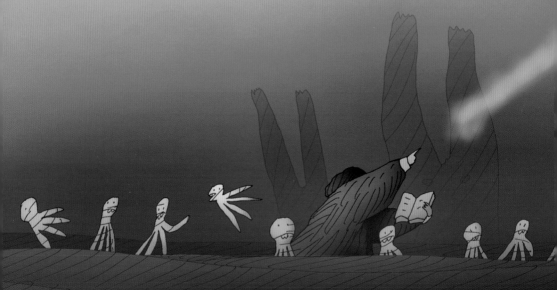

—Y, como puedes ver, ¡lo he conseguido! —le dijo
Renglong a Fritanga.

—Eso es evidente —ratificó la bruja desde la ventana
de su dormitorio.

Renglong le contó a su amiga que el conjuro
«Cómo hacer que las cosas crezcan a voluntad»
era tan sencillo de realizar, que con solo apuntar
con el dedo y pronunciar la palabra «chascarraschás»,
hacía que las cosas crecieran… a voluntad.
Así que, sin pensarlo dos veces, Renglong apuntó
con el dedo a su cabeza, recitó el conjuro…

—Chascarraschás…

… y no tardó en descubrir que eso de la voluntad
para crecer no era tanto la del conjurante como
la del conjuro en sí mismo. El resultado de todo ello
era que Renglong se había convertido en un gigante
y ahora su pequeño «problema» había alcanzado
una proporción semejante a su nuevo tamaño.

PUMMMMMMMM

PATAPUMMMMM

—La cosa sería llevadera si no fuera por alguna que otra incomodidad —le dijo Renglong a Fritanga—. En realidad son detalles insignificantes, típicos de nosotros, la gente alta. Unos problemillas a los que con el tiempo supongo que acabaré acostumbrándome. Total, son… apenas cuatro o cinco tonterías, no sé… Tengo el estómago algo vacío. Bueno… la verdad es que estoy muerto de hambre, vamos… que la comida me resulta algo escasa. Pero mira, esto tiene un lado positivo. En el fondo no me viene mal bajar unos kilillos y, además, así me volveré más ágil y podré esquivar cosas pequeñas como muros, árboles y casas que ahora derribo sin parar. Por cierto, hablando de derribos y de casas, la mía ni te cuento cómo ha quedado… Solo a mí se me ocurre practicar estos conjuros dentro de mi casa. Y no creas… Me preocupa la idea de saber que no tengo dónde guarecerme. Sin ir más lejos, ayer, por estar a la intemperie, una tormenta me caló hasta los huesos y ahora tengo un catarro ciclópeo, y cada vez que estornudo… Bueno, mejor no entro en detalles. Eso sí, ¿te acuerdas de mis problemas con la caspa? Pues ya no me preocupan. Creo que con ella se alimenta una colonia de pájaros que ha decidido anidar en mi cabeza.

Renglong continuó enumerando con minuciosidad
las mil y una desgracias que le suponía ser un gigante.
A medida que avanzaba en el inventario de desastres,
su mirada se iba transformando, hasta convertirse
en esa mirada que ponen los cachorros cuando quieren
ser adoptados.

—Y lo peor de todo… lo peor… es que hago…
unas cacas enooooormes —balbuceó Renglong
poniendo morritos.

A Fritanga se le encogía el corazón viendo el estado
en que se encontraba el grandullón de su amigo.
De un salto, salió volando por la ventana, se acercó
a la nariz del mago y dándole un suave pellizco
le dijo:

—Ay, desastre mío… Tranquilo… Ya verás cómo
resolvemos esto. Anda, siéntate y no te muevas de aquí,
voy a buscar ayuda y espero volver enseguida.
¡Ah! Escúchame bien. Mientras esté ausente…
¡Mírame bien!… Ni un pedito…. Ni un
insignificante pedito. ¿Entiendes?

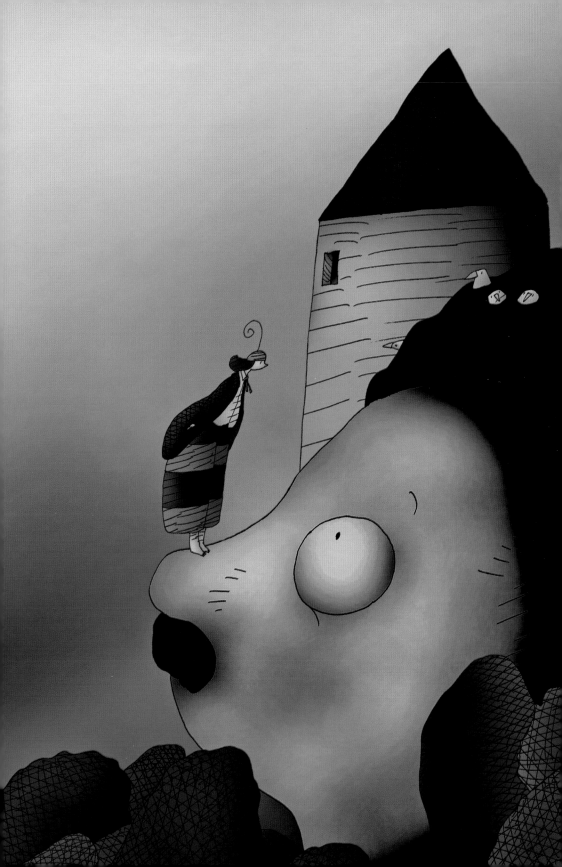

Renglong asintió ruborizado, cerró los ojos
y, cuando volvió a abrirlos, distinguió bajo
la luz de la luna la silueta de Fritanga,
que lentamente se iba haciendo más pequeña,
hasta perderse en la oscuridad de la noche.

3. Los magos superiores

Fritanga sospechaba que los conjuros
del *Metamorphos* no debían ser tomados
a la ligera. Consciente de sus limitaciones,
decidió hacer uso de su estatus de recadera
y pedir ayuda a los Magos Superiores.
Primero se acercó al castillo del conde
Sfarragado, un mago que alardeaba
sin pudor de su estirpe nobiliaria.

El conde Sfarragado, en la magia apenas había
pasado del *Incipientis,* pero dominaba de tal modo
el arte del cotilleo, que todos acudían a él seguros
de que conocería a uno que conocería a alguien
que pudiera solucionar problemas y apuros.
El conde recibió a Fritanga en una estancia
a la que llamaba Salón de los Espejos.

—Y bien, Fritanga, ¿a qué debo tu visita? —preguntó el conde con su forzado acento francés.

—Señor Sfarragado: Renglong se ha hecho gigante.

—¿Cómo de grande?

—Como una casa, señor Sfarragado.

—¿Y de qué forma un tipo como Renglong consiguió realizar tal prodigio?

—Según parece, utilizó un conjuro que encontró en el *Metamorphos*.

—¡Qué barbaridad! Ese hombre es un inconsciente.

—No lo sabe usted bien. Pero ese inconsciente lo está pasando muy mal y me gustaría ayudarle.

El noble se levantó de su escabel y caminó dando pasitos de ballet.

—Mira, Fritanga. Del *Metamorphos* solo sé que sus conjuros son imprevisibles, peligrosos e irreversibles. Tu amigo ha jugado con fuego y se ha quemado —dijo el conde, haciendo una filigrana en el aire con los dedos de la mano—. Sin embargo, pregúntale al mago Ramudo. Él conoce conjuros que hacen aumentar o disminuir el tamaño de las cosas y a lo mejor tiene algún remedio para la «chamusquina» de tu amigo. Ah…, y no vayas a su castillo. Vete al de la bruja Serena Miriapoli, seguro que está allí.

El conde Sfarragado se acercó a Fritanga y le susurró:
—Es que… esos dos andan de novietes, pero chitón, ¿eh?
Fritanga se despidió del conde, prometiéndole
que no revelaría la confidencia que le había
hecho, y salió volando hacia el castillo
de Serena Miriapoli.

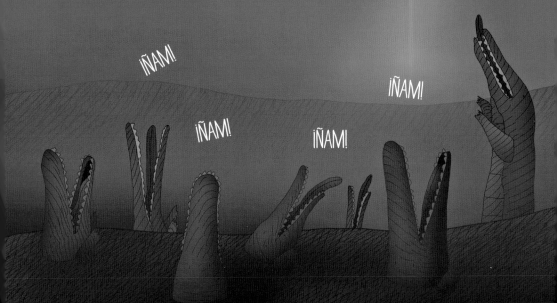

El castillo Miriapoli, aunque había sido
transformado para parecer un palacio,
todavía conservaba el aire amenazador
de las fortalezas fronterizas con su típico
foso repleto de cocodrilos saltarines.

Y hambrientos.

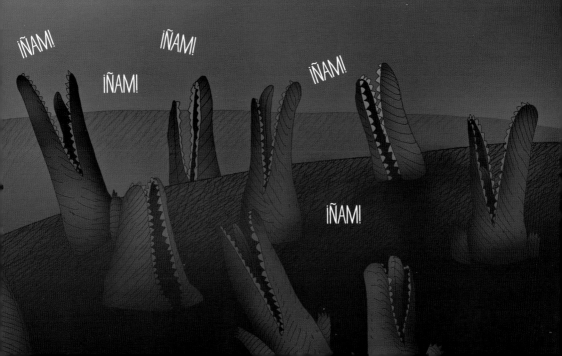

Fritanga encontró a Miriapoli y Ramudo practicando el *cuelalabola*, un extraño juego astrológico mezcla de golf, billarda y petanca.

—Hola, Fritanga. ¿Quieres unirte al juego? —dijo Serena sin dejar de mirar la bola que iba a golpear.

—No, gracias, tengo una noche un poco complicada.

—Pues descomplícatela y juega una partida.

—Lo de Renglong no tiene solución —le dijo Ramudo a Fritanga—. Los mosquitos, que llevan picándonos toda la noche, nos han puesto al corriente de la «genialidad» de Renglong y de tu visita a Sfarragado.

Los mosquitos y las mariposas nocturnas son todavía más cotillas que el conde Sfarragado. «Antes de comértelos te cuentan de todo», solían decir los murciélagos. Ese comentario era uno de los argumentos que aportaba el búho a Fritanga en su batalla por el uso de la ventana:

—Mira, Fritanga, qué se puede esperar de unos tipos como los murciélagos, que a duras penas arrastran la mala conciencia del que se come a un conocido...

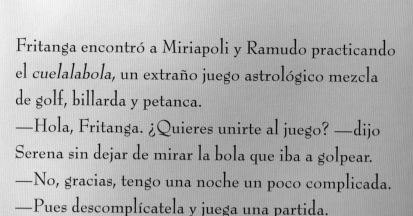

Pero dejemos a los murciélagos y al búho,
y continuemos con la historia que nos ocupa.

Ramudo tomó la palabra:
—Querida Fritanga, yo sé aumentar y disminuir
el tamaño de las cosas, pero jamás utilizo esos conjuros
con magos y humanos.
«¡Poc!», sonó la bola que acababa de golpear Ramudo.
—Además —continuó el mago—, los conjuros
del *Metamorphos* no tienen arreglo y mis poderes
son inútiles para deshacer sus caprichos. Tu amigo
Renglong ha jugado con lo irreversible.

Miriapoli entró en la conversación.

—El mago Gago, según leí en una de sus biografías, durante una época hizo uso del *Metamorphos*, y siendo como es, bastante «osado», seguro que habrá tenido que enmendar alguno que otro de sus conjuros. Habla con Gago, puede que él sepa cómo deshacer los conjuros del *Metamorphos*.

—Puede —señaló Ramudo.

«¡Poc!», golpeó Miriapoli.

Fritanga se despidió del mago y de la bruja,
y emprendió el vuelo hacia el castillo
del mago Gago.

Vanidoso e intratable, Gago había decidido pasar
a la historia, y para ello apaniguó a un biógrafo,
a un pintor y a un fotógrafo que le seguían como
rémoras a un tiburón, inmortalizando todos
y cada uno de sus instantes.

Gago llevaba puesto un batín carmesí y zapatillas
de pompón. En ese momento biográfico,
iba de «sofisticado». Menudo «sofisticado».

—Querida Fritanga, sé a qué vienes y sé de dónde
vienes. Mi bola mágica me informa al instante
de todos los acontecimientos.

—Entonces, ¿puedes darme alguna solución
al problema de Renglong?

Gago adoptó una pose solemne.

El biógrafo, el pintor y el fotógrafo se pusieron
en guardia.

—Fritanga, debes saber que Renglong se ha metido
en un buen lío. Los conjuros del *Metamorphos* no
tienen solución. Yo mismo he sufrido sus caprichos.
En una ocasión convoqué a un monstruo para que
me resolviera un asuntillo y luego no había forma
de deshacerse de él. Afortunadamente, se fue a vivir
a un lago de Escocia y solo sale de Pascuas a Ramos.

—¡Imprescindible, señor Gago! ¡Un dato imprescindible!
—exclamó su biógrafo mientras escribía las palabras
del mago en su bloc de notas. Este capítulo lo titularé:
«Lucha con monstruos».

—¿Hace un retrato, insigne Gago? —preguntó el pintor.

«Flashsssssssssssssssssssssss…», inmortalizó el fotógrafo.

Gago se recompuso del deslumbramiento y continuó.

—Pregúntale al mago Zambulza. Él, de joven, fue
discípulo del mago Absalum, el autor del *Metamorphos*.
Y a lo mejor sabe cómo deshacer sus conjuros.
Yo hubiera acudido a él con el asunto del monstruo,
pero cuando aquello sucedió Zambulza andaba
de prestidigitador y, querida Fritanga, comprenderás
que yo no me relaciono con prestidigitadores.

«Flashsssssssssssssssssssssss…».

—Qué frase tan sublime.

—Señor Gago, no se mueva ahora, que lo estoy encuadrando en el lienzo.

Fritanga dejó al mago Gago posando para la posteridad y se fue volando hacia el castillo del mago Zambulza.

El castillo de Zambulza estaba al final de todos
los castillos, en la región que se conoce
con el nombre de Silenciosa.

Por el camino vio a la bruja Sendereta subida
a la torre más alta de su castillo, intentando
dispersar a base de conjuros, chillidos y escobazos
a un grupo de nubes de tormenta que se habían
instalado de un modo perpetuo por encima
de sus almenas.

—¿Va todo bien? —preguntó Fritanga desde el cielo.

—Como siempre, hija mía, como siempre —contestó
la bruja.

En el trayecto, Fritanga también se cruzó
con el nigromante Emiliano Carpentier,
que estaba sacando a pasear a *Mormogor*,
su terrible dragón de siete cabezas.

—¿Qué tal, señor Carpentier? —le preguntó
Fritanga sin detenerse.

—Mal. *Mormogor* cada vez tarda más en hacer
sus necesidades. Claro… ¡con tanta golosina!

Luego Fritanga sobrevoló los castillos
de Desiderio de Monteverde, Rufina Morera,
Hans Butter de Hamburgo y Serena Lena,
y pasó de refilón por el tenebroso castillo
del cruel Teodomiro Grandell.
Al final de todo, donde se acaba el mundo,
Fritanga divisó las altas torres del castillo
del mago Zambulza.

A lo largo de su dilatada vida, Zambulza había acumulado una gran cantidad de conocimientos sobre adivinación, sanación y nigromancia, pero fue en el arte de la prestidigitación donde desarrolló una exitosa carrera en tablaos y teatros de medio mundo. Con los años, decidió retirarse a un apartado castillo que iba reformando poco a poco, a medida que aumentaban lo que el mago llamaba sus «pequeños achaques».

Zambulza recibió a Fritanga recostado en una alfombra voladora.

—¡Caramba, Fritanga! Cuánto tiempo sin verte —dijo sonriente Zambulza.

—Perdone, señor Zambulza. Sé que le tengo un poco abandonado…

—Normal, hija,
vivo en el quinto
pino y últimamente
no voy a ninguna parte,
qué te voy a decir… Los años
y los achaques pasan factura.
Pero dime, ¿a qué debo tu visita?

Fritanga, medio adormilada y sacando fuerzas
de flaquezas, empleó sus mejores artes de embajadora.
Con cuatro palabras y un par de chascarrillos
le resumió a Zambulza su aventura nocturna, el drama
de Renglong e incluso le dio tiempo a exponerle
una síntesis del lío entre los murciélagos y el búho.
Zambulza escuchó con atención y luego se incorporó,
con no pocos esfuerzos, adoptando una postura
más digna.

—El asunto de los murciélagos es preocupante, pero
lo de Renglong alcanza la categoría de alarmante.
El *Metamorphos* es un libro digno de su autor,
el retorcido mago Absalum. En ese libro reunió
una serie de conjuros que no se pueden deshacer
de ningún modo —dijo, categórico, Zambulza—.
Pero… eso no quiere decir que no se puedan resolver.
La solución está en el propio conjuro. ¿Qué conjuro
utilizó Renglong?

—El del chascarraschás —contestó Fritanga.

—Huy, huy, huy… ¡Qué bruto es ese Renglong!

—De eso no le quepa duda, señor Zambulza.

La alfombra de Zambulza recogió
suavemente al mago, transformándose
en algo semejante a un abrigo.

—Mira, Fritanga. Si convocas a través del *Metamorpho*
una bestia aterradora de esas que se comen
a diez caballeros de un mordisco, para liberarte
de ella solo tienes que convocar otra bestia
aterradora igual que la anterior, para que se
coman entre sí.

—¿Y si en vez de comerse, se alían? —preguntó
Fritanga.

—Bueno… entonces habría que convocar
otras dos y así sucesivamente hasta que, o por falta
de caballeros o por simple bravuconería, las criaturas
acaben comiéndose entre ellas.

Zambulza se elevó muy despacio.

A cámara lenta.

Iba a pronunciar algo importante.

—En el caso de Renglong, lo que debería hacer
es utilizar el conjuro del chascarraschás para crear
un mundo a su medida. Lo normal es que te adaptes
al mundo, pero en ocasiones especiales el mundo
tiene que adaptarse a ti. Dile a Renglong que busque
una casa aislada, que por medio del conjuro
la vuelva gigante y que haga lo mismo con todo
aquello que necesite, incluidos los alimentos.
Así, al menos, vivirá una vida confortable hasta
convertirse en un ogro. Porque sabrás, Fritanga,
que los gigantes que viven aislados acaban convirtiéndose
en ogros tarde o temprano.

—Pues qué bien —dijo Fritanga.

4. El regreso a casa

Fritanga voló hacía su casa.

Iba triste.

Estaba cansada.

Agotada.

—¡Qué brisa tan suave!

Se estaba quedando dormida.

—Eh! Despierta… —se dijo.

Porque, claro, es muy peligroso quedarse dormido mientras vuelas.

A una buena distancia de su casa, Fritanga
sintió el retumbar de los ronquidos de Renglong.

«GRRRRRRRRRRR...».

—Y además ronca como cien osos —comentó
Fritanga.
Lo encontró dormido como un tronco en la misma
posición en que lo había dejado.
Los pájaros protestaban.
—¡Aquí no hay quien pegue ojo! —decían.
Los que habían anidado en la cabeza del mago
se tapaban los oídos con las alas, asumiendo
los ronquidos con resignación, como un pequeño
inconveniente a cambio de tener la comida asegurada.
Fritanga se posó, haciendo equilibrios, en la nariz
de Renglong, y lo despertó suavemente.
—Renglong, eh... Renglong, despierta.

Adormilado, abrió los ojos. Su mirada emitía más desamparo que la de mil cachorritos abandonados.

—Tengo la nariz atascada —dijo Renglong.

Estornudó y de su nariz salieron tres murciélagos. ¡Qué desastre de ogro iba a ser Renglong!

—¿Arreglaste algo con los Magos Superiores? —preguntó el gigante.

Fritanga miró a los ojos de su amigo y no lo dudó.

—Sí, y tengo la solución —le dijo. Apúntame con el dedo y transfórmame en giganta.

—Pero… —balbuceó Renglong.

—Hazlo y no preguntes —insistió Fritanga.

Renglong, no muy convencido, la señaló con el dedo y susurró en un tono solemne:

—¡Chascarraschás!

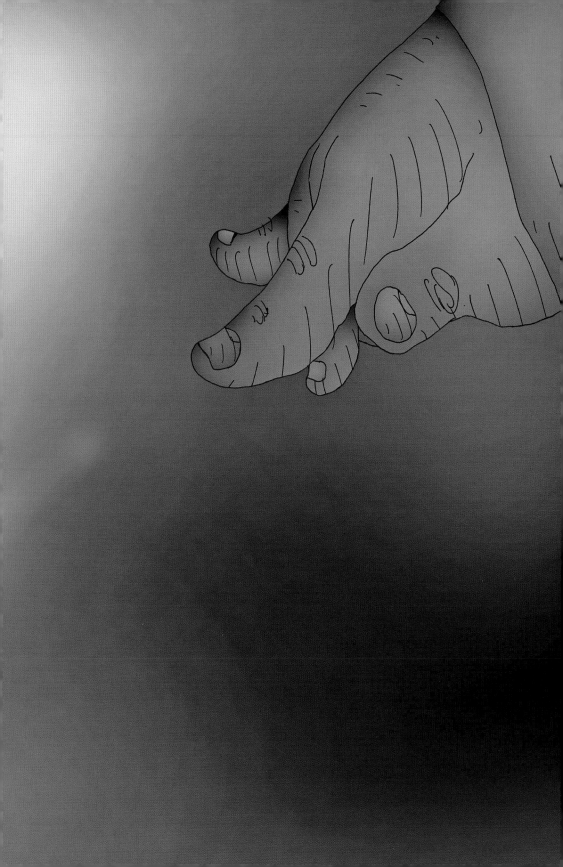

De pronto, Fritanga creció y creció hasta
convertirse en una giganta.

—Súbete a mi espalda y haz lo que yo
te indique —le ordenó la bruja al mago.
Renglong se agarró a la espalda de Fritanga
y esta, de un salto, se elevó a gran velocidad.
Cuando llegó a una altura considerable, Fritanga gritó:
—¡Señala al suelo y no dejes de recitar tu conjuro!

Pasaron el resto de la noche volando sobre la tierra y convirtiendo en gigantes hasta a los objetos más insignificantes.

A la mañana siguiente todos se despertaron
sin saber que eran gigantes, porque los cepillos
de dientes, los coches, los libros, los lápices…
todo, absolutamente todo, se había convertido

en gigante…

Bueno, casi todo; porque con las prisas,
Fritanga y su amigo se olvidaron de pasar
por una pequeña isla en medio del océano,
una isla que se llama Liliput, pero esa…

... esa es otra historia.